D1043304

REJETE
DISCARD

CÉDRIC

Amour et trottinette

RETROUVEZ **CÉDRIC**

DANS LA BIBLIOTHÈQUE ROSE

Moi, j'aime l'école

Mon papa est astronaute

La fête de l'école

Roulez, jeunesse !

La photo

J'aime pas les vacances

Maladie d'amour

Tout est dans la tête

Des rollers à tout prix

Votez pour moi !

Nos amies les bêtes

Pépé boude

Dîner-surprise

Amour et trottinette

7.95B
juin 06

CÉDRIC

CAUVIN . Laudec

Amour et trottinette

Adaptation : Claude Carré

HACHETTE

© Éditions Dupuis, 2005,
© Hachette Livre, 2005, pour la novélisation de la présente édition.
© Éditions Dupuis, 2005 pour les illustrations et les personnages.
D'après la série télévisée *Cédric* adaptée des albums de bande dessinée
de Laudec et Cauvin, parus aux éditions Dupuis. Une coproduction
Dupuis Audiovisuel, France 3, Canal J, RTBF.
Histoires originales de Laudec et Cauvin, adaptées pour l'écran
par Raynald De Léo, Claude Prothée et Sophie Decroisette.
Maquette : Jean-Bernard Boulnois.

1

Amour et trottinette

Je rêve souvent de Chen. Je n'ai même pas besoin de dormir pour ça. C'est ce qu'on appelle rêver éveillé. Parfois, ça m'arrive dans la rue, d'autres fois à la maison. En classe aussi. Pourtant, j'adore Mlle Nelly, c'est ma maîtresse préférée. Mais c'est plus fort que moi. Il suffit que mon regard passe par la fenêtre et aille se promener au sommet des arbres pour que ça me reprenne…

J'imagine que je me balade dans le parc. Que c'est le printemps, que le temps est doux et que les oiseaux, sur leurs branches, chantent l'amour naissant. Dans mon rêve favori, Chen m'appelle pour m'inviter à pique-niquer dans un petit coin de verdure. Nous nous installons les yeux dans les

yeux. Je me régale de délicieux plats chinois que la maman de Chen nous avait préparés. Puis je m'avance doucement vers elle, mais avec les yeux brillants et un sourire irrésistible aux lèvres. Elle constate avec admiration que j'ai un magnifique bouquet de fleurs à la main. Je l'appelle.

— Chen ?

Aussitôt, plusieurs oiseaux descendent en voletant de leurs branches et viennent tourner autour de ma princesse chinoise, tout gazouillants. Alors elle tourne vers moi son merveilleux visage rosissant.

— Oui, Cédric ?

Là, je me penche vers elle et je lui tends mon bouquet printanier. Aussitôt, elle devient folle d'amour. C'est à peine si elle arrive à se contrôler :

— Ooooh, Cédric ! Comme c'est gentil !

Et je me décide à tout lui avouer.

— Tu sais, Chen, je… je… JEÛ T'AI-AIMEÛ !!!

Les mains serrées autour de mon bouquet, les yeux humides, Chen se déclare à son tour :

— Oh, Cédric ! Depuis le temps que j'attendais ça !

Et elle dépose sur mes lèvres en feu un long baiser appuyé. C'est à ce moment-là, en général, que la voix de maman ou celle de Mlle Nelly vient me réveiller en sursaut :

— Cédric ! Je peux savoir pourquoi tu as les yeux fermés et tu fais ce sourire idiot ?

N'empêche que c'est dans les rêves qu'on trouve les meilleures idées. Pour faire ma déclaration à Chen, je ne devrais pas avoir besoin de prétextes. Pourquoi se compliquer la vie quand elle peut être si simple ? Et, surtout, pourquoi continuer à écouter les conseils de Christian ? Je devrais le savoir, depuis le temps : question filles, il est archi-nul ! Mais non, une fois encore, je me suis laissé avoir.

Tout était parti d'une histoire avec Caprice. Comme Christian n'arrivait toujours pas à attirer son attention, il avait inventé un nouveau stratagème. J'étais son complice, pour ne pas changer. Je m'étais assis dans l'herbe et je surveillais la course de notre championne qui faisait plusieurs tours de

parc. Quand Caprice est apparue au sommet de la petite colline, j'ai adressé un signe à Christian. Et je lui ai soufflé :

— Ça y est ! La voilà !

Alors Christian s'est précipité au bord de l'allée, s'est écroulé et a fait comme s'il venait d'avoir un malaise, la main sur le cœur. Au début, ça a marché : Caprice a freiné et, en haletant comme une locomotive, elle s'est penchée sur lui.

— Christian ? Pfff… Ça ne va pas ?

Mon copain a péniblement soulevé sa tête et mollement entrouvert un œil. Il a esquissé un pauvre sourire et a fait mine de retomber dans les pommes :

— Aâââh, Caprice, c'est toi !

Impressionnée, elle s'est accroupie à côté de lui.

— Ben… Que… qu'est-ce qui t'arrive ?

— Je… sais pas… Je… je pensais à toi, justement, et puis tout à coup, vlan ! le noir ! Hem… Quel hasard que tu passes par là…

Caprice avait l'air soucieux. Elle a tout de suite pris les choses en main.

— Tsss, tsss… Ne te fatigue pas à parler, Christian. Et laisse-toi aller : ça peut être très, très grave, tu sais !

— Grave, je crois pas, non, a bredouillé Christian en commençant à se relever. Et justement, je… je voulais te dire que…

Mais Caprice a posé un doigt sur sa bouche pour le faire taire et l'a obligé à se rasseoir.

— Mais ?

— Si, si, crois-moi, il ne faut courir aucun risque. C'est peut-être le cœur.

Christian, fronçant les sourcils, a commencé à comprendre que son idée de génie était en train de prendre l'eau. Il a tenté de rattraper le coup.

— Euh… Tu sais, Caprice… Hem… C'est à peine croyable, mais je me sens beaucoup mieux…

Mais Caprice s'était déjà redressée. Elle a sautillé un peu sur place, histoire de retrouver son

rythme de marathonienne et a insisté, avec une voix d'infirmière en chef :

— Surtout, ne bouge pas de là, Christian ! Pfff... pfff... Et ne t'inquiète pas : je cours chercher un docteur !

Sur ce, elle a détalé aussi vite qu'une étoile filante et a disparu à l'autre bout du parc. Christian en est resté tout ahuri, assis dans l'herbe comme une vulgaire pomme de pin.

— Un docteur ? Mais… Ah, ben mince, alors…

Je n'ai pas pu me retenir. Je me suis écroulé de rire derrière mon buisson et j'ai hurlé :

— UN MÉDECIN ! WARF ! WARF ! WARF ! C'EST TROP MARRANT ! UN MÉDECIN !

Christian a fini par venir vers moi en fronçant les sourcils pour me faire comprendre que je devais me taire.

— CÉDRIC !

Après un long fou rire, j'ai eu du mal à retrouver mon sérieux.

— Excuse-moi, vieux, c'est plus fort que moi... Mais ne fais pas d'effort, surtout, ton pauvre cœur malade risque de lâcher ! WARF ! WARF ! WARF !

Un peu plus tard, quand je me suis calmé, et que Christian en a eu assez de se défouler sur un pauvre bosquet qui ne lui avait rien fait, on a déguerpi, avant que Caprice ne revienne avec son cardiologue !

On s'est retrouvés assis un peu plus loin, sous un arbre, et on s'est mis à discuter de l'amour et des filles, de la vie, quoi. Christian était complètement abattu.

— Le problème avec les filles, tu vois, c'est qu'on ne sait jamais si on en fait trop ou trop peu…

À force de l'écouter, je m'étais mis à déprimer, moi aussi. J'ai hoché la tête.

—Je suis bien d'accord avec toi...
Il a poursuivi son idée :

— Tu vois, pour déclarer son amour, il faut savoir créer l'occasion... Et pouvoir se parler seul à seule... D'homme à femme, si tu vois ce que je veux dire.

Si je voyais ? Je ne voyais même que ça !

— Mais c'est pas facile, avec Caprice, a soupiré Christian... Elle ne s'arrête jamais de courir ! Même quand elle dort, elle doit rêver qu'elle court !

— Ouais ! ai-je confirmé : c'est comme moi avec Chen. Je suis sûr qu'elle n'attend que ça. Mais chaque fois que j'essaie, y'a un truc qui cloche : on dirait que le destin est contre moi. Faudrait vraiment que je trouve la bonne occasion, comme tu dis…

Et à ce moment-là, comme si la situation n'était déjà pas assez désespérée, devinez qui est arrivé à notre hauteur, patinant sur une trottinette archi-neuve ?

— Manquait plus que ce frimeur de Nicolas ! ai-je grogné.

Au moment où je disais ça, en le voyant tout fier sur son engin, une idée m'est venue. J'ai bondi du banc et je lui ai fait signe de s'arrêter :

— Hé, Nicolas !!!

Il a dérapé en couchant sa trottinette sur le côté et il s'est arrêté pile devant nous, les roues toutes fumantes. Il a fait :

— Salut, les gars ! Ça va pour vous ?

Là, il fallait que j'assure, que j'aie vraiment l'air convaincant.

— Dis donc, ai-je lancé, elle est trop mégasuper, ta trottinette ! On dirait une moto de course !

Exactement le genre de compliment qui fait plaisir à Nicolas et à tous les Charente du Ventou de la création ! Leur dire qu'ils sont les plus beaux, les plus riches, qu'ils ont le meilleur goût pour tout et qu'ils sont à la pointe de la mode !

— N'est-ce pas ? a-t-il confirmé en gonflant la poitrine… C'est mon père qui me l'a offerte. Il m'a ramené cet engin d'un de ses voyages aux States !

J'ai secoué la main, d'un geste admiratif, à peine exagéré...

— Des States ? Wahou ! Ben dis donc, y'en a qui ont du bol !

Il ne s'est plus senti, le Nicolas. Il s'est même laissé aller à faire des remarques pas très correctes :

— Ça ! Je dois reconnaître qu'avoir un père diplomate présente quelques avantages... Ce n'est pas comme avoir un père vendeur de carpettes...

J'étais en train de l'embrouiller, mais bon, il y avait des choses que je ne pouvais pas laisser passer. J'ai cessé de sourire et je l'ai regardé bien en face.

— Oh, dis, hé ! Des tapis, pas des carpettes, d'accord ?

— Ouais, bon, des tapis si tu veux, c'est pareil..., a-t-il fait en pensant déjà à autre chose.

J'ai repris mon air admiratif.

— Oh là là… Qu'est-ce que ça me ferait plaisir de monter sur une merveille pareille ! Dis, tu peux me la prêter, ta trottinette ?

Nicolas a hésité, mais il ne sait pas résister à quelqu'un qui rêve de pouvoir être à sa place, ne serait-ce que quelques secondes…

— Ben… C'est que justement, j'ai promis à mon père de rentrer pour cinq heures…

— Allez, quoi, juste un petit tour !

Je te la ramène tout de suite !

Il a dû se dire qu'il pouvait, de temps en temps, faire un geste en faveur de ses amis les plus à plaindre. Alors il s'est décidé : il est descendu de son engin et m'a mis le guidon entre les mains, en disant :

— Bon… d'accord. Mais un tout petit tour, hein ?

J'ai posé ma main sur mon cœur et j'ai juré :

— Croix de bois, croix de fer…

— OK, alors…, a-t-il dit, à moitié rassuré. À tout de suite !

Il s'est éloigné un peu inquiet, en se retournant de temps en temps, pour voir ce que je faisais. Quand il a disparu derrière un rideau d'arbres, j'y suis monté à pieds joints, sur sa trottinette américaine chérie, et je me suis élancé. Christian m'a couru après, un peu étonné.

— Ben, qu'est-ce qui t'arrive, Cédric ? Tu aimes la trottinette, toi ?

J'ai ricané, en accélérant :

— Mais non, banane : mieux que ça ! Je vais apprendre à Chen à s'en servir…

Ah là là ! Des fois, il n'est vraiment pas futé, Christian ! Il n'avait même pas encore compris que je venais de la trouver, la bonne occasion ! Apprendre à Chen à patiner, c'était une merveilleuse promesse de douceur ! C'était pouvoir la tenir par la taille, se serrer contre elle, l'accompa-

gner dans le moindre de ses mouve-
ments ! En cas de chute, c'était pouvoir
se jeter à terre pour qu'elle me tombe
dessus et ne se fasse pas mal !

Je venais encore de plonger en
plein rêve éveillé, et Christian a dû

crier pour me ramener à la réalité.

— CÉDRIC !!!

Il était en train de m'arracher à ma rêverie, l'animal...

— Quoi, encore ?

Mais c'était trop tard. J'ai vu le virage au dernier moment, j'ai évité de justesse une nounou avec sa poussette, mais je n'ai pas pu échapper au crash dans le massif d'orties.

— AAAAHHHH !!!

Christian s'est précipité, mais j'étais déjà en train de brûler au huitième degré. Il m'a aidé à me relever en disant :

— MINCE DE MINCE !

Ce n'était pas de sa faute, mais il fallait bien que je passe ma colère sur quelqu'un.

— Toi, lui ai-je lancé, je t'interdis de m'approcher à moins de cent mètres, c'est compris ?

Il a quand même insisté, d'une

toute petite voix tremblante :

— Mais je… Mais je… je voulais juste te dire…

— ME DIRE QUOI ?

Il a balbutié :

— Ben que Chen, elle sait déjà s'en servir, de la trottinette…

Ça m'a fait un choc. La terre a brutalement arrêté de tourner, le vent de souffler et les oiseaux de chanter. J'ai regardé Christian et j'ai cherché

à deviner s'il ne disait pas ça juste pour m'énerver.

— Que... qu'est-ce qui te fait croire ça ?

De son pouce levé, il a désigné un endroit, un peu plus loin dans le parc.

— Ben... j'ai vu Nicolas qui lui apprenait ce matin.

Là, j'ai senti mes yeux sortir de leurs orbites. Et je suis devenu incapable de me contrôler.

— NICOLAS !!! NONDIDJÛ DE

NONDIDJÛ !!!

J'ai soulevé la trottinette à bout de bras, et je l'ai abattue sur le sol, plusieurs fois de suite, comme un marteau. Ça me faisait mal aux bras mais je n'arrivais pas à m'arrêter. Jusqu'à ce que Christian reprenne la parole :

— Hem... heu... Attends... T'as qu'à faire croire à Chen que c'est toi qui ne sais pas t'en servir, de la trottinette !

J'ai reposé l'engin sinon je crois que je l'aurais pulvérisé. Ma première réaction a été de trouver son idée nulle :

— ÇA VA PAS, NON ?!! La première andouille venue sait rouler à trottinette ! J'aurais l'air de quoi, moi, devant Chen et ses copines !

Christian ne s'est pas découragé, il tenait à son idée :

— T'es pas obligé de le dire à tout le monde. Tu ne le dis qu'à Chen…

Je ne voyais toujours pas où il voulait en venir. J'ai posé mon poing sur ma hanche et j'ai fait :

— Bon, admettons… Et alors ?

Là, il a vraiment failli s'énerver :

— Mais enfin, tu réfléchis pas, ou quoi ? C'est Chen qui va t'apprendre !

Je me suis immobilisé d'un coup. Mes yeux sont passés de Christian à la trottinette, de la trottinette à Christian, et j'ai fini par comprendre. J'avais mis le temps, mais j'avais déjà remarqué que l'amour me rendait lent. J'ai laissé échapper :

— Mais c'est pas bête du tout, ça, hé ! hé ! hé !

Christian a fait son sourire modeste, d'un air de penser que chez lui, c'était assez habituel les bonnes idées. J'aurais dû me méfier, mais l'image de Chen me tenant par la taille et se serrant contre moi m'a empêché de réfléchir davantage.

— Allez hop, exécution ! me suis-je exclamé.

J'en avais oublié mes brûlures d'ortie. On est allés s'embusquer derrière un gros arbre du parc,

pour épier Chen et son groupe d'a-
mies qui jouaient à la marelle un
peu plus loin. Le tout, maintenant,
c'était d'arriver à éloigner mon élé-
gante petite Chinoise des autres.
Mon esprit s'est mis à bouillonner,
mais sans résultat. Je me suis tourné
vers Christian, le recordman du
monde toutes catégories des bonnes
idées pour les amoureux.

— Tu sais comment faire, toi ?

Mais, apparemment, il était en panne : il avait dû mettre son cerveau à recharger.

— Ben non.

Alors je l'ai regardé avec un large sourire. Quelque chose venait de faire tilt.

— Moi, si ! j'ai dit, en continuant à le fixer avec insistance.

Au bout d'un moment, il a pointé son pouce contre sa poitrine.

— Hein... Moi ?!! Mais qu'est-ce que je vais lui dire, moi, à Chen ?

Avant de lui répondre, je me suis levé et j'ai fait un grand « coucou » en direction des filles. Puis j'ai attrapé Christian et je l'ai éjecté hors de notre cachette. C'est vrai, quoi, il est assez grand pour se débrouiller tout seul !

— Allez ! l'ai-je encouragé, t'auras tout le temps de trouver en marchant...

Il a résisté un moment et puis il y

est allé, mais après m'avoir lancé un regard noir, en donnant des coups de pied dans le gazon. Je l'ai surveillé pour qu'il ne s'échappe pas, mais il a fait très fort. Il est allé droit vers Chen, l'air naturel, et lui a glissé quelque chose dans le creux de l'oreille.

L'instant d'après, elle se mettait à rigoler.

— Pfffh... Pfffh... Hi !!! hi !!! hi !!! D'accord, Christian, je te suis.

Continuez sans moi, les filles ! Je n'en ai pas pour longtemps !

Ses copines ont un peu râlé :

— Ah ben ça alors ! C'est quoi, ces messes basses ? Ah, ces garçons ! Ils sont d'un sans-gêne !

Chen et Christian se sont avancés vers moi et m'ont rejoint. Ma merveilleuse petite porcelaine chinoise m'a gentiment asticoté :

— Alors, c'est vrai, Cédric, tu ne sais pas faire de la trottinette ?

J'ai dû forcer un peu mon sourire. Je devais avoir l'air un peu ridicule, avec le guidon de cette machine entre les mains, mais c'était pour la bonne cause.

— Ben non, tu vois… hé ! hé ! ai-je fait en rougissant.

Heureusement, Chen est la plus adorable de toutes les filles que j'aie jamais connues. Elle a tout de suite pensé à me rendre service et, s'approchant de moi, elle a dit :

— C'est pourtant facile… Je vais t'expliquer !

Ah, Chen, mon bouton d'or, ma rizière ensoleillée, mon Palais d'Été… Filer tous les deux sur cette trottinette, cheveux au vent, ses mains passées autour de ma poitrine musclée, entourés d'une nuée d'oiseaux gazouillants… Ça promettait d'être le plus beau jour de ma vie ! J'allais lui dire :

— On est bien, tous les deux, hein, Chen ?

Et là, elle me susurrerait, sa

bouche tout contre mon oreille :

— Oh, oui, Cédric, tellement bien !

Mouais… Le problème, c'est qu'on n'a même pas eu le temps de démarrer qu'une voix bien moins agréable a retenti à nos oreilles. Une voix qui a crié :

— Ah, te voilà, toi !

L'ignoble Nicolas des Charençons du Poitrail venait de me retrouver et se dirigeait vers nous à grands pas.

— Je t'avais pourtant dit « juste un petit tour » m'a-t-il enguirlandé. Allez, rends-moi ma trottinette, je

dois rentrer chez moi...

J'ai bien tenté de protester mais il m'a arraché des mains le guidon de son engin, d'un air supérieur.

— Mais...

— Y'a pas de « mais » qui tienne ! Je ne veux pas que mon père envoie son majordome à ma recherche : cela le met toujours de mauvaise humeur...

À ce moment-là, Chen, qui croyait bien faire, est intervenue pour me défendre :

— Oh, comme c'est dommage, Nicolas ! J'allais justement expliquer à Cédric comment on fait de la trottinette...

Là, il y a eu un silence. Nicolas a écarquillé les deux huîtres glauques qui lui servent d'yeux et a fini par bégayer :

— NOOON !!! NOOON !!! attends, ne me dis pas que TOI, Cédric, tu ne sais pas faire de la t-t-trottinette ?

J'étais mal. Je me sentais à deux doigts d'être complètement ridicule. Du regard, j'ai cherché du secours auprès de Christian, mais il avait l'air tout aussi ennuyé que moi. Alors, d'un petit geste de la main, j'ai essayé de faire comprendre à Nicolas que c'était un stratagème ; mais c'était trop tard, Chen a répondu à ma place :

— Ben non, il ne sait pas...

Cette fois, Nicolas a explosé de rire et le parc tout entier a sursauté en l'entendant. Une fois qu'il a été sûr que tout le monde allait écouter la suite, il a hurlé :

— IL SAIT PAS !!! WARF WARF WARF !! CÉDRIC NE SAIT PAS FAIRE DE LA TROTTINETTE !!! WARF WARF WARF !!!

J'ai serré les poings, les dents, les paupières, tout ce que j'ai pu trouver à serrer.

— Ouuuuh… Je sens la trottinette me monter au nez, moi…

Mais ce n'était pas fini. Nicolas avait décidé de m'humilier encore plus méchamment. Il m'a tapé sur l'épaule d'un faux geste amical et il m'a dit :

— Mon pauvre Cédric ! Allez viens, je vais t'apprendre, moi !

Il s'est même penché pour m'attraper une jambe, en poursuivant :

— Tiens, tu mets ton pied là, et…

J'ai éclaté :

— AH TOI ! BAS LES PATTES,

HEIN ?

Je crois que je lui aurais fait manger sa trottinette, morceau par morceau, en commençant par les roues, si Chen ne m'avait pas arrêté.

— Cédric, enfin ! Sois gentil avec Nicolas ! Il veut juste t'apprendre ! ! !

Je me suis retenu de dire que moi, je voulais juste que ce soit elle qui m'aide, et surtout pas l'autre, là, l'horrible Nicolas, avec sa coupe de cheveux venue de l'espace ! Au moment où je cherchais quelqu'un pour me passer les nerfs, j'ai entendu la petite voix de Christian :

— Je sais pas pourquoi, mais je

sens que tout ça va me retomber dessus...

Il n'avait pas tort. J'ai voulu me précipiter sur lui et le piétiner mais, rapide comme l'éclair, il avait déjà disparu. Je me suis alors mis à trépigner.

— CHRISTIAN !!! VIENS ICI TOUT DE SUITE, FAUX FRÈRE !!!

On l'a cherché un moment des yeux, Chen, Nicolas et moi, mais il était devenu invisible.

— Montre-toi, trouillard ! ai-je insisté. Christian, tu m'entends ? Je te préviens, la prochaine fois que t'as une idée, je te fais manger tes chaussures !

Alors, une voix étouffée a glouglouté :

— Ah, ben mince alors ! C'est même pas moi qu'ai commencé avec la trottinette, d'abord !

C'était incroyable : on l'entendait, mais on ne le voyait pas. J'ai secoué quelques arbres et puis je suis parti explorer les alentours. Rien. Personne.

Quand on est rentrés chez nous, une demi-heure plus tard, on ne l'avait toujours pas retrouvé. C'est le lendemain, alors que j'étais un peu calmé, qu'il m'a raconté ; en fait, il s'était complètement enfoncé sous l'eau de l'étang, en respirant juste avec une tige de bambou qu'il faisait dépasser à la surface ! Il avait juste émergé quelques secondes, le temps de me répondre.

Bon, c'est vrai que d'un autre côté, j'ai tort de toujours tout voir en noir. L'histoire de la trottinette, par exemple : sûrement que Chen avait bien compris, au fond, que je savais déjà en faire et que c'était juste un prétexte pour nous retrouver ensemble.

Si elle n'avait pas insisté, c'est parce qu'elle avait voulu faire comme moi : profiter de l'occasion

pour me déclarer son amour...
Patience, Chen : tôt ou tard, la
bonne occasion se présentera. Et
alors, ce sera si simple de tout se
dire...

Le grand amour, ça se mérite à
tous les âges, même à huit ans...

2

La fête à Jules

Je me rappelle très bien comment ça a commencé, l'histoire de la fête de pépé. On était tous réunis dans le salon, devant la télévision, pépé dans son fauteuil, papa dans le canapé, maman occupée à son repassage et moi par terre, comme d'habitude. C'est là que je me sens le mieux, pour regarder la télé. Enfin, quand on se met d'accord pour regarder ce qui me plaît. Parce que sinon, c'est très vite la guerre à la maison.

Ce soir-là, donc, pépé avait attrapé la télécommande et bien refermé sa main dessus pour éviter qu'on la lui arrache. D'autant qu'il y avait un match de foot sur la pre-mière chaîne et que papa l'avait convaincu de rester sur la première

le plus longtemps possible. Moi, ça ne m'arrangeait pas, parce que sur la deuxième, il y avait un nouvel épisode de ma série préférée « Tarentule Boy ». Alors j'ai tenté le coup :

— J'peux avoir la télécommande, pépé ?

— Une minute, gamin, tu veux bien ? Laisse-nous voir un peu le match !

À ce moment-là, maman a levé les yeux de son programme TV.

— Ah non, pas le foot ! Il y a une comédie sentimentale sur la troisième !

La soirée était mal partie. Le commentateur sportif s'excitait comme un fou :

— *Contrôle intérieur pied gauche et... UN SUPERBE TIR DE PEPITO... Euh... à côté !*

C'était bien la peine de se mettre à hurler pour un but raté. Je suis revenu à la charge, d'un ton plaintif :

— Mais y'a « Tarentule Boy » sur la deuxième chaîne ! Zappe, pépé !

En soupirant, pépé a changé de chaîne et papa est devenu vert.

— Hé !!! a-t-il crié, et la contre-attaque, alors !!! On va rater la contre-attaque !!!

À l'écran, venait d'apparaître le générique de « Tarentule Boy » et une voix caverneuse articulait :

— *Seul, perdu dans le terrible Canyon de la Mort lente, Tarentule Boy errait désespérément, mourant de soif, titubant, la langue sèche comme un morceau de craie...*

Mais maman, pas effrayée pour un sou, a choisi de casser l'ambiance :

— De toute façon, Cédric, tu ne pourras pas le voir jusqu'au bout, tu as école demain. Papa, mets la troisième, s'il te plaît !

D'un pouce fatigué, pépé a obéi. Un couple d'amoureux est alors apparu, qui se regardait dans le blanc des yeux. On s'est échangé un coup d'œil, papa, pépé et moi, complètement effondrés.

— Mais enfin, m'man ! ai-je gémi.

Elle ne m'écoutait plus, fascinée par les dialogues du téléfilm.

— *Tu m'aimes ?*

— *Oui, je t'aime.*

— *D'un amour aussi grand que le mien...*

— *Tout aussi grand, mon amour...*

Un ennui mortel nous est tombé dessus et nous a enveloppés comme une couverture laineuse. Papa a craqué le premier :

— Pfff !!! .. Oh là là… Si vous remettiez le foot, beau -père ?

Pépé a zappé à nouveau mais c'était la mi-temps du match. Une espèce de glouton claironnait :

— *Ta vie fait « Ding » ? Ta vie fait*

« *Dong* » ? *Mange donc les crakers* « *Ding Dong* » !

J'ai secoué pépé par la manche :

— C'est la pub ! Remets vite « Tarentule Boy », pépé !

Pépé commençait à en avoir plein le dos. En grimaçant, il a fait ce que je lui demandais. On s'est retrouvés plongés dans l'ambiance desséchée du Canyon de la Mort lente. Tarentule Boy venait d'être recueilli par le chef des araignées velues. Il lui tendait une sorte de gourde d'où sortait un liquide suspect.

— *Bois, Tarentule Boy !* lui conseillait-il.

— *Mais, c'est du venin...*, protestait le héros.

— Si, bois-le ! ai-je crié.

Maman, agacée, a fait un geste sec en direction de pépé.

— Papa, s'il te plaît !

Pépé s'est trompé de touche et a coupé le son de la télévision. Je suis devenu vert de rage, et j'ai trépigné.

— Ah non, pas juste au moment où il boit le venin du chef des Tarentules ! C'est ça qui lui donne ses pouvoirs !

Pépé, que l'on n'avait pas encore beaucoup entendu, a suggéré :

— Comme personne n'est d'accord sur rien, on pourrait regarder l'émission de variétés? Il y a une soirée spéciale valse-musette, sur la cinquième !

Rien ne pouvait énerver papa davantage.

— Ah ça, non, alors ! Vos programmes pour troisième âge, vous avez tout l'après-midi pour les regarder !

Maman a sursauté :

— Robert !

Trop tard. Pépé était sacrément vexé ! Il a posé la télécommande sur le bras de son fauteuil et s'est levé d'un seul mouvement.

— Je vois, a-t-il marmonné.

Maman, tout en continuant son repassage a essayé de rattraper la situation :

— Allez, papa ! Ne fais pas le gamin !

— Enfin, beau-père, rasseyez-vous ! a ajouté papa. Hem... Si vous voulez, je vous l'enregistre, votre émission !

Trop tard, le mal était fait. Pépé s'est mis au lit et a crié :

— Ne vous fatiguez pas, Robert, je préfère aller me coucher ! Là-haut, au moins, je pourrai me repasser un film que personne ne peut m'empêcher de regarder : celui de mes souvenirs !

Une fois au fond de son lit, on l'a juste entendu ajouter :

— Mais quand même : ce soir, je pensais avoir droit à une petite faveur !

On a tourné la tête vers maman, qui s'est mise à réfléchir :

— Ce soir ? Pourquoi ce soir ?

Et puis elle a réalisé :

— Mon Dieu ! J'avais complètement oublié ! C'est sa fête, demain !

— Sa fête ?

— Oui ! C'est la Saint-Jules !

Papa a hoché la tête en souriant : il venait visiblement d'avoir une idée.

— Eh bien, puisque c'est ça, demain nous fêterons la Saint-Jules !

On est allés se coucher là-dessus, avec un grand clin d'œil de papa. Il avait sans doute décidé de faire voler au-dessus de nous la colombe de la Paix. Parce que mettre tout le monde d'accord à la maison, ce n'est jamais facile ! Surtout quand il s'agit de télé. Mais là, papa croyait avoir eu l'idée qui réglerait le problème. Et au début, c'est ce que j'ai cru aussi...

Dès l'après-midi du lendemain, maman avait pris son air de comploteuse. Elle n'arrêtait pas de passer et de repasser devant la fenêtre comme si elle guettait quelqu'un. Je me suis demandé ce que papa et elle avaient bien pu imaginer. Là-dessus, Christian a téléphoné, et on a discuté un moment. On a parlé de l'épisode de « Tarentule Boy », la veille à la télé et je n'ai pas réussi à lui dire que je l'avais raté. Il disait :

— Tu te rappelles quand « Tarentule Boy » attrape la fille et s'envole avec elle sur le toit de l'autre immeuble ?

— Euh… non !

— Mais si ! Il arrive suspendu au bout de son fil, et il l'attrape par la taille pour l'arracher à son ignoble ravisseur !

Petit à petit, comme ça, il me racontait tout l'épisode et j'avais l'impression de l'avoir vu aussi. Surtout que je m'imaginais bien en super-héros venant sauver une jolie jeune fille des griffes d'un terrible bandit armé jusqu'aux dents. Cette

jolie jeune fille aurait eu exactement l'apparence et le sourire de
Chen. Le terrible bandit aurait eu
les traits de Nicolas. J'ai secoué la
tête pour chasser ce rêve et j'ai pris
l'air étonné :

— Ah bon ?

— Mais comment tu peux ne pas
te rappeler ça ! a râlé Christian à
l'autre bout du fil. Tu as vu le film,
oui ou non ?

J'ai toussé pour me donner le temps
de réfléchir, et j'ai fini par inventer
une réponse à peu près possible :

— J'en ai vu qu'un quart, mais ça ne devait pas être le quart où il y avait les bonnes scènes !

Au même moment, dehors, papa est apparu à la fenêtre du salon, et a fait un signe à maman. Alors celle-ci s'est tournée vers l'intérieur du salon et a observé pépé qui ronflait dans son fauteuil. Elle a levé le

pouce et a dit à papa, doucement :

— C'est OK, vous pouvez y aller !

Après, j'ai entendu du bruit dans l'escalier, mais je n'ai pas pu aller voir, parce que Christian continuait à me raconter tout ce que j'avais raté de « Tarentule Boy ». Je l'ai écouté encore un moment, mais je n'ai rien retenu, parce qu'il se passait décidément des choses trop bizarres à la maison. Au bout d'un moment, j'ai fini par m'excuser :

— Ouais, t'as raison, c'était super, mais là il faut que je te laisse parce que ma mère m'appelle. À demain !

Et j'ai raccroché. Maman s'était approchée de moi ; elle m'a murmuré quelque chose à l'oreille et j'ai ouvert de grands yeux. On a attendu que papa redescende pour faire notre surprise à pépé. Il ronflait toujours comme un hélicoptère. Tous les trois, on a contourné son fauteuil sur la pointe des pieds et, au signal, on a braillé :

— BONNE FÊTE, JULES !!!

Ça lui a fait tout drôle, à Jules. Le moteur de l'hélicoptère a eu des ratés et pépé a fait un bond dans

son fauteuil. Quand il est retombé, il a ouvert un œil effaré en nous voyant tous autour de lui.

— Hu ?… Mmh qu'est-ce que…

— On a un cadeau pour toi ! s'est empressée de dire maman.

Pépé, un peu gêné, a remis un peu d'ordre dans sa moustache et a protesté mollement :

— Il ne fallait pas. J'ai déjà une demi-douzaine de bouillottes, trois paires de pantoufles, et…

À son tour, papa l'a interrompu :

— Rien de tout ça, beau-père ! a-t-il déclaré, tout sourire. Venez voir !

— Allez, viens, pépé, ai-je ajouté en le tirant par le bras, on va te montrer !

On l'a entraîné vers l'escalier et on est montés jusque dans sa chambre. J'ai ouvert sa porte en grand et j'ai claironné :

— Et voilà le travail !

Une superbe télé neuve, grand écran, trônait sur son buffet, face à son lit. Pépé en a été soufflé. Dans un soupir, il a fait :

— Une… Une télé ?

Je me suis approché de lui.

— Alors ? !

Il m'a regardé sans répondre, et puis après un silence, il a demandé :

— Une télé ! Mais comment vous avez fait pour…

— On en a profité tout à l'heure, pendant que tu faisais la sieste, a

répondu maman en souriant.
Robert est monté l'installer en
douce !

— T'es content, hein, pépé ?

— Bien sûr qu'il est content ! est
intervenu papa. Comme ça, après
les repas, il montera regarder la télé
ici et personne ne le dérangera !

Maman, l'air satisfait, a expliqué :

— Finies, les disputes sur le choix du programme, les petits moments d'énervement du soir !

Curieusement, pépé restait muet. Tout le monde parlait, sauf lui. C'est encore papa qui paraissait le plus ravi.

— Eh oui, beau-père, désormais, vous êtes chez vous ! Vous pourrez vous lever quand bon vous semblera !

—Je t'apporterai ton petit-déjeuner !
a précisé maman.

— Et moi, le journal avant d'aller
à l'école !

J'avais ajouté ça à tout hasard, histoire de le faire sourire, mais il restait toujours muet. Du coup, je me
suis un peu inquiété et j'ai dit :

— Ça va, pépé ? Pourquoi tu dis
rien ?

Papa a posé sa main sur mon épaule et m'a fait pivoter vers la porte.

— C'est l'émotion ! a-t-il souri, laissons-le se remettre !

Et on est sortis tous les trois de sa chambre. Papa et maman avaient l'air vraiment heureux de cette bonne idée. Plus que pépé, en tout cas. Il n'aurait pas eu l'air plus secoué si on lui avait offert un crocodile pour mettre dans sa baignoire.

Mais finalement, ça a dû lui plaire quand même puisque le soir, il n'est pas descendu manger avec nous. Il devait en profiter, de sa télé ! Tellement que le lendemain midi non plus, il n'est pas descendu ; et le lendemain soir, pareil ! Seulement voilà : Pépé était peut-être content, mais moi je m'ennuyais, sans lui !... Je me suis décidé à parler en voyant maman retirer son assiette et ses couverts :

— Pépé ne mange pas avec nous ?

— Non, a-t-elle fait en secouant la tête, il m'a encore demandé de lui monter son dîner.

— Vous voyez : ça marche ! a aussitôt noté papa. Il s'installe dans sa nouvelle vie ! C'est un renouveau pour lui !

J'ai hoché la tête, tout en regardant pensivement la place de pépé vide en face de moi. Maman, qui n'a pas les yeux dans sa poche, l'a remarqué.

— Tu n'as pas faim, Cédric ?

— Si, si…

J'ai mangé, mais du bout des lèvres. On était peut-être tranquilles le soir, mais ce n'était pas pareil. Ça faisait un peu comme si pépé n'était plus dans la maison, plus du tout. Qu'il avait disparu pour toujours. Et rien que de penser à ça, les larmes me sont montées aux yeux.

Après le repas, je suis allé m'installer dans son fauteuil, et j'ai

allumé la télé. C'était l'heure d'un jeu débile, sur la Première.

— Et maintenant, disait un présentateur, la question à un million : quel est l'inventeur de la poubelle ? Léonard de Vinci ? Albert Einstein ? Le préfet Poubelle ?

Maman est arrivée au même moment, et a vu que j'avais l'air fatigué.

— Allez, Cédric, va donc te coucher ! Tu seras bien mieux au lit...

— Oui, m'man...

Je n'avais pas envie de discuter et, de toute façon, je ne me voyais pas rester plus longtemps dans ce salon à moitié vide. Je suis sorti en traînant les pieds, et j'ai croisé papa qui venait s'installer à son tour dans le canapé.

— À demain, m'man, à demain, p'pa...

Mais après avoir posé le pied sur la première marche, je suis resté un

moment dans le couloir à écouter leur conversation. Comme d'habitude, ils discutaient des émissions de télé. Maman avait son programme à la main.

— Bien, qu'est-ce qu'on regarde ?

— Y'a un policier, a proposé papa.

— Ah non, c'est toujours pareil, les policiers ! Et si on regardait « Les yeux de l'amour » à la place ?

— Ah, certainement pas ! Pour entendre toujours les mêmes : « Et vas-y que je t'aime ! », « Et vas-y que je t'aime plus ! » C'est pas toujours pareil, ça aussi ?

— Des variétés, alors, sur la Troisième ?

— Bravo ! Comme ton père, maintenant ! C'était vraiment pas la peine !

Décidément, ils ne tomberaient jamais d'accord ! J'ai soupiré un grand coup et je suis monté à l'étage. C'est alors qu'en passant devant la chambre de pépé, je l'ai entendu qui parlait tout seul. Il

répétait, d'une voix tremblante :

— Cette Saint-Jules, eh bien je m'en souviendrai !

Du coup, je me suis arrêté et j'ai collé mon oreille contre la porte. Quelques instants après, il a ajouté :

— Toi, au moins, Germaine, tu savais me faire plaisir !…

Alors, j'ai deviné qu'il avait dû prendre le portrait de mémé

Germaine avec lui. Il avait dû bien tasser ses oreillers et s'asseoir tout droit dans son lit pour s'adresser au portrait, comme il le faisait parfois dans ses moments de grande solitude. Il devait se repasser le film de ses souvenirs, comme il disait. En tout cas, il était bien bavard :

— Mais là, tu parles d'un cadeau ! Un prétexte pour m'écarter, oui !

J'ai ouvert de grands yeux. Qu'est-ce qu'il était allé s'imaginer ?

— Ce n'est pas encore l'hospice, a-t-il continué, mais ce n'est pas loin ! J'ai tout ce qu'il faut, les toilettes et la salle de bains sont à côté, je n'ai même plus besoin de descendre. Comme ça, ils évitent de me croiser au rez-de-chaussée ; ils n'ont juste qu'à monter de temps en temps pour vérifier que je ne suis pas mort et le tour est joué !

Aïe aïe aïe !!! On était complètement tombés à côté, avec notre idée de cadeau ! Pépé avait cru qu'on voulait se débarrasser de lui ! Il a continué sur le même ton :

— « Plus personne ne me dérangerait », qu'ils ont dit ! Tu parles ! Je suis pas une lumière, mais j'ai bien compris ! Quand on dit ça à quelqu'un, c'est que c'est lui qui dérange ! Au placard, le pépé !

J'ai failli frapper et entrer pour lui expliquer, mais j'ai réussi à me retenir. Je me serais embrouillé dans mes excuses, et il ne m'aurait pas cru. Quand il était avec mémé Germaine, il fallait le laisser. Sa voix commençait à trembler et j'ai dû

tendre l'oreille pour entendre le reste :

— Je vais les laisser tranquilles, a-t-il murmuré. Mais à la prochaine Saint-Jules, je leur demanderai un canari. Ça mettra un peu de vie dans ma chambre. En plus de toi, ça me fera quelqu'un à qui parler… Allez, à bientôt, ma chérie.

Horreur ! On lui avait fait un cadeau qui le rendait malheureux ! C'était la pire chose qui pouvait arriver ! Il fallait réagir, être capable de prendre la bonne décision. Et qui était le mieux placé pour ça, le plus courageux ? J'ai fait semblant de dormir, mais en fait, j'ai guetté le moment où mes parents sont allés se coucher. Une fois la porte de leur

chambre refermée, je suis sorti de la mienne sur la pointe des pieds et je suis redescendu au rez-de-chaussée, sans allumer la lumière. Là, je me suis mis au travail.

Le lendemain après-midi, quand je suis revenu de l'école, la camionnette du dépanneur de télé était stationnée devant la maison. Je suis entré rapidement, j'ai déposé mon sac dans le couloir et je me suis dirigé vers le salon, d'où provenait une conversation animée. Papa, maman et le réparateur étaient réunis autour de notre poste de télé qui fumait doucement. Papa disait :

— Je vous assure : hier, il marchait parfaitement ! Et aujourd'hui :

impossible d'obtenir une image !

Le réparateur a soulevé sa casquette pour se gratter la tête.

— Vous êtes sûrs que personne n'a arrosé une plante qui était dessus, ni renversé un verre sur l'écran ? Ça arrive, vous savez !

— Écoutez, ça fait dix fois qu'on vous dit que non ! a répondu papa, qui commençait à s'énerver.

Le dépanneur a encore une fois essayé de changer de chaîne avec la télécommande. Mais l'appareil a crachoté comme s'il en avait assez qu'on le triture. Le spécialiste nous a jeté un regard en coin et a ironisé :

— Alors, c'est qu'elle est allée prendre une douche toute seule cette nuit.

C'est vrai que la télé avait l'air sacrément humide, et ce qui dégoulinait dessous ressemblait beaucoup à de l'eau. Mais papa n'appréciait pas vraiment l'humour du dépanneur. Le regard sombre, il a demandé :

— Qu'est-ce qu'on fait, maintenant ?

— Je veux bien l'apporter à mon atelier, mais n'espérez pas trop le voir

revenir. Je pense qu'il est mort, votre téléviseur.

Moi, j'en étais convaincu. Surtout que j'avais fait le nécessaire la nuit d'avant. Mais comme papa et maman semblaient catastrophés, j'ai fait la même tête qu'eux. Et quand le réparateur est parti, j'ai contemplé tristement l'emplacement vide où, hier encore, se trou-

vait la télé. Papa était très contrarié.

— Je n'ai quand même pas les moyens d'acheter une télé par semaine ! s'est-il exclamé.

— C'est dommage, a soupiré maman, j'avais repéré un super film pour ce soir...

Alors, j'ai timidement pointé mon doigt vers le plafond et, d'une voix délicate, j'ai fait :

— Hem !... Y'aurait bien une solution... mais faudrait que pépé soit d'accord...

Papa et maman m'ont regardé et puis, à leur tour, ont levé les yeux vers le plafond. Ils ont eu l'air tenté.

— Qu'en penses-tu, Robert ?

— On peut toujours lui demander...

Et voilà le travail. Heureusement que dans une famille, il y en a toujours au moins un qui a de l'imagination ! Dans notre famille à nous, c'est moi ! Quand le soir est tombé, papa est allé chercher la télé de pépé dans sa chambre. Il l'a installée à la place de l'autre, qui avait pris un sacré coup d'humidité, la nuit d'avant. Alors pépé est redescendu dîner avec nous et, après le repas, il a retrouvé son fauteuil préféré dans le salon.

Un peu plus tard, on est venus s'installer, nous aussi. On s'est mis à chercher le programme télé et à se chiper la télécommande, comme avant. Pépé s'est éclairci la gorge et a demandé à papa et maman :

— Bon, qu'est-ce qu'on regarde ?
Y'a un bon policier, sur la première
chaîne.

— Oh non, pas un policier, c'est
toujours pareil ! Il n'y a pas un film
d'amour, plutôt ?

— J'espère que tu plaisantes,
Marie-Rose ! Moi vivant, jamais on
ne regardera une de ces nullités à la
télé !

Et voilà, c'était reparti ! Ils
allaient se chamailler comme ça
pendant un bon moment... la rou-

tine. Ça m'a donné sommeil, et je me suis mis à bâiller. J'ai dit au revoir à tout le monde et je suis monté dans ma chambre. Depuis le couloir, je les ai entendus qui discutaient toujours :

— Il n'y a pas des variétés, sur la Troisième ? demandait pépé.

Et papa a aussitôt contre-attaqué :

— Ah vous, vous n'allez pas remettre ça avec vos variétés!

Quand le réparateur avait parlé de douche, j'avais pris mon air le plus innocent, tellement j'avais peur que papa et maman réalisent qu'il y avait eu un sabotage. Mais non, rien ! Ils ne m'ont même pas suspecté ! Et moi, j'avais eu ce que je voulais : que pépé redescende avec nous, et qu'il reste ! C'est vrai, si on avait une télévision chacun dans sa chambre, on ne se verrait plus du tout, dans cette maison. Alors qu'on est tellement mieux ensemble !

Ma mission était accomplie. En me mettant au lit, j'étais sûr que j'allais passer une super bonne nuit. On a beau n'avoir que huit ans, on est parfois capable de rattraper les bêtises des grands, et heureusement !

Table

1. Amour et trottinette 5

2. La fête à Jules 47

retrouve aussi
es héros préférés
sur canal J !

Titeuf

Lucky Luke

Cédric

Kid Paddle

canal J

OUT SUR LE CÂBLE ET CANALSATELLITE

AS-TU LU TOUTES LES BD DE CÉDRIC ?

HAQUE SEMAINE DANS **SPIROU**

T SUR **SPIROU.COM**

Cauvin • Laudec © Dupuis, 2005.

Imprimé en France par Partenaires-Livres® JL
dépôt légal n°58035– mai 2005
20.20.1032.01/4 – ISBN 2-01-201032-6
Loi n°49-956 du 16 juillet 1949
sur les publications destinées à la jeunesse

REJETÉ
DISCARD